Você é um Homem Mau, Sr. Gum!

Histórias de Lamonic Bibber

Você é um Homem Mau, Sr. Gum!

Escrito por
Andy Stanton

Ilustrado por
David Tazzyman

Traduzido por
Luiz Antonio Aguiar

Rio de Janeiro | 2008

Título original em inglês:
You're a bad man, Mr. Gum!

Edição original em língua inglesa publicada primeiramente em 2006 sob o título *You're a Bad Man, Mr. Gum!* por Egmont UK Limited, 239 Kensington High Street, Londres W8 6SA.

Copyright do texto © 2006 Andy Stanton
Copyright das ilustrações © 2006 David Tazzyman

Todos os direitos reservados.
Proibida a reprodução, no todo ou
em parte, através de quaisquer meios.
Os direitos morais do autor e do ilustrador foram assegurados.

Composição de miolo e capa: Glenda Rubinstein

Direitos exclusivos de publicação em língua portuguesa somente para o Brasil
adquiridos pela
EDITORA RECORD LTDA.
Rua Argentina 171 - Rio de Janeiro, RJ - 20921-380 - Tel.: 2585-2000
que se reserva a propriedade literária desta tradução

Impresso no Brasil

ISBN 978-85-01-07878-0

PEDIDOS PELO REEMBOLSO POSTAL
Caixa Postal 23.052 - Rio de Janeiro, RJ - 20922-970

CIP-BRASIL. CATALOGAÇÃO-NA-FONTE
SINDICATO NACIONAL DOS EDITORES DE LIVROS, RJ

S729v

Stanton, Andy
   Você é um homem mau, Sr. Gum!: histórias de Lamonic Bibber / de
Andy Stanton; ilustrações de David Tazzyman; tradução de Luiz Antonio
Aguiar. - Rio de Janeiro: Galera Record, 2008.
        il.

   Tradução de: You're a bad man, Mr. Gum!
   ISBN 978-85-01-07878-0

   1. Excêntricos e excentricidades - Literatura infanto-juvenil. 2. Cão -
Literatura infanto-juvenil. 3. Fadas - Literatura infanto-juvenil. 4. Novela
infanto-juvenil inglesa. I. Tazzyman, David, II. Aguiar, Luiz Antonio,
1955-. III. Título.

08-0401.   CDD: 028.5
                                            CDU: 087.5

Em memória de Sam

Sumário

1 O jardim do sr. Gum   9

2 Um cachorro enorme   22

3 O sr. Gum faz planos tão horríveis quanto ele   40

4 O sr. Gum toma uma xícara de chá   59

5 Jammy Grammy Lammy...   60

6 O sr. Gum põe seu coração no jardim   78

7 Sexta-Feira O'Leary   91

8 Algumas coisas acontecem   104

9 Polly e Sexta-Feira entram de moto na cidade   119

10 A hora mais sombria de Jake   137

11 Como tudo se resolveu   153

Capítulo 1
O jardim do sr. Gum

O sr. Gum era um velho emburrado com uma barba vermelha e dois olhos injetados de sangue que costumava encarar a gente como se fosse um polvo todo enrolado dentro de uma caverna escura. Ele era um completo horror e odiava crianças, animais, coisas engraçadas e espigas de milho. O que ele gostava era ficar cochilando na cama o dia inteiro, ficar sozinho e olhar zangado para tudo.

Ele dormia fazendo caretas, tirava meleca do nariz e comia. A maioria dos moradores de Lamonic Bibber o evitava. As crianças tinham pavor dele. As mães ameaçavam: "Vá pra cama quando eu mandar senão o sr. Gum vai aparecer aqui, berrar com os seus brinquedos e sujar os seus livros de lodo!" Era o truque de sempre.

O sr. Gum morava num casarão maravilhoso no centro da cidade. Na verdade, não era tão maravilhoso assim, porque ele o transformou numa bagunça bem nojenta. Os quartos estavam abarrotados de ferro-velho e caixas de pizza. Havia garrafas de leite vazias espalhadas por todo lado, como soldados feridos numa guerra contra o leite, e havia montes de jornais velhos de muitos anos atrás com manchetes mais ou menos assim:

VIKINGS INVADEM A GRÃ-BRETANHA

e

CRIADO HOJE PRIMEIRO JORNAL DO MUNDO

Era possível encontrar insetos vivos nos armários de louças da cozinha, e não apenas insetos pequenos, mas os enormes também, com rostos, nomes e empregos.

O quarto de dormir do sr. Gum era absolutamente assustador. O guarda-roupa tinha tanto mofo e queijo velho que dificilmente havia espaço para as suas roupas roídas por traças, e a cama nunca fora feita. (Não quero dizer que o edredom nunca fosse arrumado sobre ela, mas que ninguém nunca MONTARA aquela cama. O sr. Gum nunca se deu ao trabalho de fazer isso. Ele simplesmente havia espalhado os pedaços de madeira no chão e jogara um colchão por cima.) Havia janelas com vidros quebrados e o antigo carpete tinha a cor da infelicidade e o cheiro de uma privada. Bem, o caso é que eu poderia passar o dia inteiro aqui falando da casa do sr. Gum, mas acho que já deu para você ter uma idéia do que era. O sr. Gum era um preguiçoso de marca maior, que não se dava ao trabalho de perder tempo com coisas bonitas e arrumadas, e com escovar os dentes, nem os seus nem os de qualquer pessoa, aliás.

(como você pode ver, esse aí foi um grande *mas*) se havia uma coisa de que ele cuidava muitíssimo bem era do seu jardim. Na verdade, o sr. Gum mantinha o seu jardim tão arrumado, tão jeitoso, que era o mais bonito, o mais verde, o mais florido jardim de toda Lamonic Bibber. E aqui vai uma demonstração do quanto era incrível:

*Pense em um número
entre um e dez.*

*Multiplique este
número por cinco.*

*Some trezentos
e cinqüenta.*

Subtraia onze

*Jogue fora todos
esses números.*

*Agora imagine um
jardim maravilhoso.*

Seja qual for o número com o qual você começou, deve agora estar pensando num jardim maravilhoso. E esse era o tanto de maravilhoso que era o jardim do sr. Gum. Na primavera, era uma explosão de açafrões e narcisos. No verão, havia rosas, girassóis e aquelas florezinhas azuis — como era mesmo o nome delas? Você sabe, aquelas azuis que se parecem um pouco com dinossauros... Bem, seja como for, havia milhões delas. No outono, as folhas dos enormes carvalhos cobriam o gramado, transformando-o em ouro como se fosse um robô gigante folhudo. No inverno, era inverno.

Ninguém na cidade conseguia entender como o jardim do sr. Gum podia ser tão bonito, verde, florido e tão ajardinadozinho, se a casa dele era tão suja e nojenta.

— Quem sabe é só porque ele gosta de jardinagem... — opinou Jonathan Baleia, o homem mais gordo da cidade.

— Talvez ele esteja tentando ganhar um concurso de jardinagem — palpitou uma menininha chamada Pedro.

— Acho que ele gosta mesmo de jardinagem — concluiu Martin Lavanderia, que tomava conta da lavanderia.

— Ei, essa idéia foi minha! — reclamou Jonathan Baleia.

— Não foi, não — disse Martin Lavanderia. — Prova, então, gorducho!

Na verdade, todos eles estavam errados. A razão verdadeira era esta: o sr. Gum tinha de manter o jardim arrumado porque senão uma fada muito furiosa ia aparecer na sua banheira para lhe dar bordoadas com uma frigideira. (Está vendo, há sempre uma explicação simples para tudo.) O sr. Gum odiava a fada, mas ele não tinha conseguido se livrar dela, assim, tinha de escolher: ou cuidava do jardim direito ou levava frigideiradas.

E assim seguia a vida na pacífica cidade de Lamonic Bibber. Todo mundo cuidava de seus afazeres, e o sr. Gum passava os dias inteiros cochilando em sua casa imunda e dando um duro danado no jardim de que ele não queria cuidar. Enfim, nada de mais aconteceu, e o sol desceu sobre as montanhas.

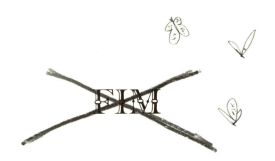

(Desculpe, eu quase ia esquecendo. Algo aconteceu, sim, um dia, e é sobre isso que trata esta história. Peço desculpas. Certo, o que foi mesmo?

Hum...

Ah, claro! Como pude ser tão estúpido? Foi aquele enorme, gigantesco cachorro que apareceu por lá. E como é que eu pude me esquecer <u>dele</u>? Muito bem, então...)

Um dia, um cachorro enorme...

(Ora, pra dizer a verdade, acho melhor começar um capítulo novo. Foi mal, gente, desculpem!)

Capítulo 2
Um cachorro enorme

Certo dia, um cachorro enorme veio morar nos arredores da cidade. De onde veio? Ninguém sabia. Que coisas estranhas teria visto? Ninguém sabia. Como ele se chamava? Todo mundo sabia. Era Jake, o Cachorro.

Ele era um cão trôpego e peludo, tão amigável quanto uma torrada, e logo ficou bem popular. Volta e meia entrava na cidade para brincar com as crianças. Jake as deixava montar nas suas enormes costas pra lá de largas. Não importava quantas crianças quisessem passear às gargalhadas em cima dele, Jake nunca ficava cansado. Era desse tipo de cachorro. Se fosse gente, provavelmente teria sido um rei, ou no mínimo um campeão de corrida de carro com um capacete maneiro.

Ou talvez tivesse sido um jardineiro pois o que Jake, o Cachorro, mais adorava era brincar nos jardins. Amava rolar o seu corpanzil canino pra lá e pra cá sobre um gramado verde bem tenro só para ver como era a sensação (geralmente era sensação de grama) e mastigar as flores na sua bocarra canina para ver que gosto tinham as flores (geralmente, tinham o gosto de flores). Parecia tão feliz nessas horas que ninguém, de fato, se incomodava com a bagunça que suas visitas provocavam.

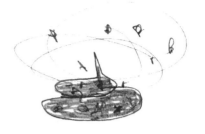

Na verdade, começou a rolar o boato de que, se Jake, o Cachorro, visitava seu jardim, isso significava que você ia ter boa sorte, e se ele deixava um "presentinho" na grama, significava boa sorte em dobro e até mesmo um telegrama por parte da rainha.

Assim, o povo da cidade começou a espalhar tortas e ossos nos seus gramados, na esperança de atrair Jake para seus jardins. Algumas vezes dava certo, em outras, não. Na maior parte das vezes, ele brincava onde queria e quando queria. Tinha o espírito livre de um Robin Hood ou de um Homem da Lua ou alguma outra coisa, sei lá — ele era apenas um cão, afinal de contas. Durante todo o verão, Jake ficou brincando nos jardins, e tudo ia bem até o dia fatídico em que ele descobriu um jardim em que nunca tinha brincado antes. Era o mais bonito, o mais verde, o mais florido, o mais ajardinzado jardim de toda Lamonic Bibber.

Naquele dia fatal, o sr. Gum estava tirando sua interminável soneca na cama que não fora montada. (Eu já contei a vocês que ele era um preguiçoso, e é isso o que os preguiçosos costumam fazer.) Estava sonhando seu sonho favorito, aquele em que era um gigante aterrorizando o povo da cidade. Os seus enormes olhos injetados de sangue faiscavam maldade como discos voadores do alto das nuvens, enquanto ele arrancava os telhados das casas para roubar brinquedos nos quartos das crianças. Ninguém conseguia detê-lo. Era o maior e o melhor, ele era...

VAPT!!

Num primeiro momento, o sr. Gum ficou sem saber o que estava acontecendo. Onde estavam as pequenas casinhas? Onde estava o povo assustado? Onde estavam os...

VAPT!!! — AI! — gritou o sr. Gum, esfregando a cabeça e olhando em volta aterrorizado. — Ah, não! — grunhiu ele.

Lá estava a fada enfezada flutuando sobre ele, com a frigideira já pronta para bater.

— Vá catar a sujeira do jardim, seu roncador preguiçoso! — gritava a fada, e lá veio a frigideirada.

O sr. Gum foi ligeiro o bastante, dessa vez, e pulou fora da cama como uma cebola culpada. **PFFF!**... fez a frigideira ao atingir os cobertores, lançando para o alto uma pequena nuvem de poeira e formigas.

O sr. Gum escapou do quarto em duas pernadas e disparou pelas escadas abaixo. Ele pisou numa fatia velha de pizza que estava no chão do corredor e derrapou para dentro da cozinha, surfando nela como se fosse uma prancha de tomate e queijo. E escutava a fada logo atrás, gritando furiosa.

— *Num fiz* nada errado, não! O jardinzinho tá todo bonito, tá sim! — gritou o sr. Gum, no que escancarava a porta de trás e corria para fora. Ele já ia dizendo mais alguma coisa, mas, quando viu o jardim, as palavras ficaram presas na sua garganta. E tinham um gosto horrível.

O jardim não estava bonito. O jardim estava um completo desastre. O gramado estava com tufos arrancados e todo esburacado. Os canteiros de flores haviam sido pi-

sados e mastigados. Pétalas de rosas e cabeças de girassóis estavam espalhadas por todos os cantos como se fossem pétalas de rosas e cabeças de girassóis. Havia alguma coisa debaixo da árvore de carvalho na qual o sr. Gum preferia nem pensar. E no centro do desastre brincava o cão mais monstruoso que o sr. Gum já vira.

Era Jake, é claro. O bicho estava se divertindo rolando por toda parte, seu pêlo castanho-dourado cheio de grama amassa-

da, os seus felizes olhos apertados contra o brilho do sol. Diante dos olhos incrédulos do sr. Gum, nove toupeiras saíram dos seus buracos e juntaram-se à festa. As duas menores começaram a pular sobre a barriga de Jake dando cambalhotas mortais no ar. As outras ficavam correndo em círculos ou apostando corrida.

VAPT!! A frigideira desceu na cabeça do sr. Gum mais rápida do que o Super-Homem.

SIAPT!! A frigideira bateu com força na bunda dele.

BOING!!!!

Uma boa pancada na barriga.

O sr. Gum dobrou-se de dor e triplicou-se de medo enquanto a fada vociferava.

— Num foi culpa minha! — gritava ele. — Nunca que eu vi esse cachorro na minha vida!

— Não quero saber… **PAFT!** de quem foi a culpa! É obrigação **CHAPT!!** sua **VAP-TAPOU!!!** cuidar do jardim… **VROP-TUNC!!**… seu estúpido cara de bunda!

O sr. Gum se lançou num vôo e aterrissou no gramado, e lá ficou choramingando, os olhos bem fechados e sem coragem para nada. Já Jake estava se divertindo um bocado. Só que, bem naquele momento, uma nuvem com o formato de osso passou boiando no céu.

Com um latido faminto, Jake saiu em perseguição da nuvem para abocanhá-la. O sr. Gum ficou observando o cachorro pular a cerca e desaparecer... para onde, ninguém sabia. As toupeiras voltaram correndo para os seus buracos, com a velocidade das toupeiras. Tão subitamente como começara, o terror estava terminado.

O sr. Gum gastou a tarde inteira reparando os danos. A fada ficou de olho nele, lançando caretas enfezadas e brandindo a frigideira ameaçadoramente para apressá-lo. No final, o jardim voltou à normalidade e, com um último **VAPT**, só para garantir, a fada vôou de volta para a banheira e desapareceu. O sr. Gum soltou um suspiro de alívio e voltou para dentro de casa, quando então descobriu que havia perdido o seu programa favorito da TV, *Saco de Varetas*, que era uma imagem de um saco de varetas que passava por meia hora. (O sr. Gum era a única pessoa no país que assistia a *Saco de Varetas*. Todo o resto das pessoas ia assistir a *Hora da Alegria com Crispinho*.)

— Aquele cachorro devia receber uma medalha de Melhor Invasor de Propriedade Alheia. Ele é mesmo um... cachorro! — murmurou o sr. Gum. — Tomara que nunca mais volte aqui.

Só que ele voltaria, sim. Na verdade, Jake estava apenas começando... Seu grande cérebro canino não conseguia parar de pensar naquele maravilhoso jardim e já no dia seguinte voltou, fazendo a mesmíssima coisa que fizera antes. E no dia seguinte também. E no dia seguinte de novo. Mas não no dia seguinte a *este*, porque era quarta-feira e todo mundo sabe que os cães tiram folga às quartas-feiras.

Mas na quinta-feira você precisava ver o que ele fez! Voltou disposto a compensar o dia perdido. Todos os dias (com exceção das quartas-feiras) era a mesma história. Aquele cachorro enorme pulava a cerca e começava a revirar tudo de pernas pro ar como se fosse um doutor incontrolável, algumas vezes deixando seus "presentinhos", como se fosse a coisa mais natural do mundo. O sr. Gum saía correndo para o jardim, brandindo uma vara para afugentá-lo, mas nunca conseguia agarrá-lo. Jake só ficava latindo como um menino de escola levado que resolvera imitar um cão latindo. Depois, pulava a cerca de arame farpado e desaparecia... para onde, ninguém sabia.

Três semanas depois, o sr. Gum estava coberto de roxos de tanta frigideirada que havia tomado e tinha perdido dez episódios de *Saco de Varetas*. Era hora de fazer alguma coisa. Alguma coisa horrível.

— É hora de fazer alguma coisa — resmungou o sr. Gum para ninguém em particular. — Alguma coisa horrível.

O tal ninguém em particular deu de ombros e foi embora comer seu jantar. Já o sr. Gum foi para o galpão e apanhou seu boné de pensamento. Ele o pôs sobre o joelho (era mais uma joelheira) e começou a pensar em como se livraria daquele cão.

Capítulo 3

O sr. Gum faz planos tão horríveis quanto ele

Na manhã seguinte, o sr. Gum foi ao açougue. O açougueiro era um velho magricela chamado Billy William III, e ninguém sabia o que significava o tal III dele.

— Vai ver ele foi pra cadeia quando era jovem, e III é porque ele era o prisioneiro número 3 — opinou Jonathan Baleia, o homem mais gordo da cidade.

— Quem sabe ele não é a terceira pessoa mais asquerosa da cidade — palpitou a mocinha de nome Pedro.

— Sabem o que eu acho? — concluiu Martin Lavanderia, da lavanderia. — Vai ver ele foi pra cadeia quando era jovem, e...

— Ei! — reclamou Jonathan Baleia. — Pare de roubar as minhas idéias!

— Ora, cale a boca! — disse Martin Lavan-deria. — Por que você não faz uma dieta?

É claro que Billy William III tinha a sua própria teoria.

— É que eu sou mesmo da realeza — dizia ele a qualquer um bobo o bastante para escutar. — Sou o terceiro na fila para o trono da Ingalaterra depois de todos os outros caras. (Ele sempre pronunciava *Inglaterra* dessa maneira. Outras palavras que ele falava de um jeito engraçado eram *hospital, fonte* e *engraçado.*) Ninguém acreditava nessa história de Billly William III, a respeito de ele estar na fila para ser rei, a não ser o próprio

Billy William, e nem mesmo ele acreditava nisso na maior parte do tempo. No entanto, adorava mentir. Era uma coisa que o fazia rir. Não uma boa gargalhada como a gente costuma dar, mas uma risada disfarçada, meio amarelada, toda para dentro, de modo que ninguém pudesse ver.

Seja como for, deixa para lá, o importante é que o sr. Gum foi ao açougue do velho BW III (que era chamado Billy William III das Carnes de Sua Majestade) para comprar o maior peso de carne que suas mãos raivosas pudessem carregar. Ele tinha um plano.

— Eu tenho um plano — disse ele a Billy William. — Na próxima vez em que aquele supercão vier bagunçar o meu gramado, ah!, melhor se cuidar. E calo a minha boca! Meu plano é bonzão!

— Você vai espalhar lá essa carne toda, bem envenenadinha, para quando a coisa gorda latidora comer cair morta? — adivinhou Billy William.

— Talvez eu vá fazer isso mesmo — disse o sr. Gum, um pouco zangado com o açougueiro por ele ter adivinhado seu plano tão rapidamente. O sr. Gum queria ele mesmo explicar seu plano, e com detalhes, achando que assim ia impressionar Billy William com toda a sua esperteza e a maldade de seu coração.

— Falando de coração malvado — disse o carniceiro —, aqui estão dois quilos disso mesmo. Ficou tudo exposto ao sol desde a última terça-feira. Com certeza deve dar pra envenenar o tal cachorro.

— Por que você deixou essa coisa no sol? — perguntou o sr. Gum, pegando o horrível saco lamacento do açougueiro repulsivo.

— Gosto de ver as moscas voando feito loucas em cima dele! — riu Billy William. — É engraxado! (Olha só como ele pronunciou a palavra *engraçado*.) É a coisa mais engraxada que se pode ver em toda Ingalaterra. Ri tanto que fui parar num *husspital*!

— Bom, muito obrigado, seu bode velho! — disse o sr. Gum, entregando a Billy William algum dinheiro que ele descobriria mais tarde que fora feito de mentiras e promessas quebradas. E com essa, ele deixou o açougue.

Já na rua, o sr. Gum lembrou que ele não irritava ninguém fazia já mais de dez minutos. Olhou ao redor em busca de alguma criança que poderia estar brincando por perto, ou apenas passeando ou qualquer coisa assim, não importa de fato o que estivessem fazendo, até mesmo lendo um livro seria bom. Apenas algumas crianças que ele poderia irritar. Só que não havia ninguém à vista, e assim ele foi comprar um jornal. Ele o abriu e viu a foto de um garoto de dez anos que havia ganhado o primeiro lugar da Copa do Mundo de Arroto Secreto.

— Ah, isso vai servir muito bem — disse o sr. Gum, e ficou de cara fechada para a foto durante todo o caminho para a casa, mal vendo para onde estava indo. De repente, tropeçou numa pedra, que o fez sentir como se o Arrotador estivesse batendo nele, mas isso apenas o tornou mais mal-humorado do que nunca.

— Está vendo só? Ganhei novamente — disse, com um sorriso de orgulho que logo transformou de novo numa careta zangada.

De volta para casa, o sr. Gum trancou todas as portas e janelas, mesmo as quebradas. Então, a fim de refletir, sentou para pensar na velha arca de marinheiros que ficava no corredor da frente. Era uma bela peça antiga feita de mogno, que é um tipo de madeira de uma árvore chamada mogno, toda entalhada com fantásticas cenas da vida no mar, com ondas, baleias e navios

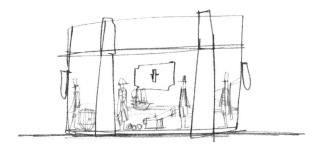

muito altos. O sr. Gum era dono da arca dos marinheiros havia mais de quarenta anos, mas nunca tivera tempo para apreciar sua beleza.

E o pior é que o sr. Gum nunca, nem uma única vez, pensara em abrir aquela bela arca para ver o que continha. Se tivesse feito isso, a história talvez tivesse sido realmente muito diferente. Talvez pudesse ser A aventura de chocolate do sr. Gum, isso porque... deixe-me dizer uma coisa a você.

Aquela velha arca tinha pertencido a um marinheiro chamado Nathaniel Surname, o herói do alto-mar. Fazia muito tempo, numa terça-feira, ele tinha salvado uma vila espanhola de ser destruída por um terrível pirata chamado Kevin. Como recompensa, a vila presenteou Nathaniel com uma arca, que estava absolutamente abarrotada de chocolate. Mas não era um chocolate velho qualquer, veja só, mas um chocolate especial fabricado pelos golfinhos da região. E, talvez fosse somente uma lenda, mas alguns diziam que era um chocolate com poderes fantásticos, e sempre diziam isso aos cochichos, razão pela qual está escrito com letrinhas miúdas.

Como a arca foi parar na casa do sr. Gum, ninguém sabe. Mas era onde estava, havia cerca de quarenta anos, desprezada e intocada. Razão pela qual o sr. Gum jamais descobriu o doce tesouro de Nathaniel, o que mais uma vez só vem provar que pessoas zangadas sempre perdem boas oportunidades. Estão tão ocupadas em criticar e implicar que nunca vêem as coisas boas que estão ao seu redor. Como a famosa canção que diz:

Você precisa ter olhos
Olhos para as coisas boas da vida!
Se você apenas tem olhos
Para as coisas horríveis e as más

Como irá conseguir
Repito como irá conseguir
Eu disse, como irá conseguir
O chocolate que merece?

REFRÃO:
Sim, sim, sim!
Sim, sim, sim, simsimsimsimsim!
Sim, sim, sim!
Sim.

Você precisa ter olhos
Olhos para as coisas surpreendentes e alegres!
Se você tiver olhos apenas
Para idéias cheias de teia de aranha

Como vai conseguir
Eu disse, como vai conseguir
Diga-me COMO vai conseguir
O chocolate que merece?

(Refrão)
(solo de guitarra)
(Repita o refrão com barulho de
avestruzes desaparecendo aos poucos)

Assim aconteceu de o sr. Gum estar sentado numa arca com o que talvez fosse chocolate mágico, mas em terrível ignorância desse fato, e pensando em fazer o mal.

"Como vou saber se todo esse coração de boi está bastante podre?", perguntava ele agora a si mesmo. "É melhor tentar comer um pouco. Se me matar, então sei que está podre o bastante para dar àquele latidor gigante."

Ele tirou do saco um pedaço de coração de boi e escancarou a boca o máximo que pôde.

"Isso é uma das coisas mais espertas que já fiz", riu ele, num cacarejo, erguendo a carne fedorenta vermelho-esverdeada à altura dos lábios. "Sou mesmo um sujeito genial."

O sr. Gum estava prestes a dar uma mordida naquilo quando percebeu que podia não ser uma idéia tão boa, no final das contas.

Então, pôs o coração de boi de volta no saco e coçou a barba pensativamente, não a barba que crescia no seu queixo, porém uma sobressalente que crescia na parede que ele tinha o hábito de coçar de vez em quando.

Por fim, decidiu encharcar o coração podre com veneno de rato, só para garantir.

"Assim, não pode falhar!", riu de novo. "Aquele cachorrão vai ter uma baita surpresa, ah, vai! Uma surpresa de que ele não vai gostar nadinha!"

Capítulo 4
O sr. Gum toma uma xícara de chá

O sr. Gum tomou uma xícara de chá.

Capítulo 5

Jammy Grammy Lammy F'Huppa
F'Huppa Berlin Stereo Fo Fo
Lebb C'Yepp Nermonica Le
Straypek De Grespin
De Crespin De Spespin De Vespin
De Whoop De Loop De Brunkle
Merry Christmas Lenoir

Na manhã seguinte, o sr. Gum foi ver como estavam os corações de boi. Ele os havia deixado de molho durante toda a noite em veneno de rato e estavam ótimos, perfeitamente perigosos para cachorros agora, além de exalarem um cheiro de podre ainda pior do que antes.

Aquela droga de cachorro vai sentir esse fedor, e com aqueles instintos animais dele não vai querer comer essa coisa!, pensou o astucioso velho. *É melhor disfarçar o cheiro com alguma coisa boa.*

Ai, meus bigodes

O sr. Gum procurou no armário da cozinha, mas será que tinha alguma coisa boa ali? Claro que não. Só o que ele conseguiu achar foi nabo podre, um cogumelo seco e uma meia cheia de sucrilhos mofados.

Então, ele foi para a cidade. Estava com um humor péssimo e, enquanto caminhava, resmungava:

"Ai, meus bigodes... Quem diria que envenenar aquele cachorrão latidor ia dar tanto trabalho? Mas quanta chateação!"

O sr. Gum passou por uma menininha que brincava em cima de um muro. Ela escutou o que ele estava dizendo e ficou assustada.

"O que será que esse tal sr. Gum está querendo fazer? Que conversa é essa de envenenar cachorrões latidores?", pensou a menininha. "E que cachorrão será esse?" Mentalmente, ela percorreu uma lista de todos os cachorrões latidores que conhecia. Não demorou muito porque conhecia somente um — Jake, aquele enorme e adorável cão de caça dourado.

— **Ah, essa não!** — gritou ela. — Não! Não vou deixar que isso aconteça! Eu adoro esse cachorro! E o sr. Gum que se cuide porque adoro o Jake de verdade! Adoro o Jake, e além disso ele salvou a minha vida, um dia desses, e agora não vou ficar brincando num muro, com aquele velho chato querendo envenenar e matar o Jake. Não vou, não. Nunca, digo e repito! Vou acabar com o plano dele. Ah, é isso o que eu vou fazer.

Bem, o nome dessa garotinha era Jammy Grammy Lammy F'Huppa F'Huppa Berlin Stereo Eo Eo Lebb C'Yepp Nermonica Le Straypek De Grespin De Crespin De Spespin

De Vespin De Whoop De Loop De Brunkle Merry Christmas Lenoir, mas os amigos a chamavam apenas de Polly.

Agora, você vai ter de decidir se é amigo dela ou não. Se é, então também pode chamá-la de Polly.

Mas, se não for amigo dela, toda vez que ler o nome *Polly* nesta história, em sua cabeça terá de dizer *Jammy Grammy Lammy F'Huppa F'Huppa Berlin*

Stereo Eo Eo Lebb C'Yepp Nermonica Le Straypek De Grespin De Crespin De Spespin De Vespin De Whoop De Loop De Brunkle Merry Christmas Lenoir. Por exemplo, ela está a ponto de descer correndo uma colina. E aqui isso vai ser contado assim:

Polly desceu correndo a colina como uma bola de gude desembestada.

Agora, se você for amigo dela, então não se preocupe mais com isso. Mas, se não for, terá que ler assim:

Jammy Grammy Lammy F'Huppa F'Huppa Berlin Stereo Eo Eo Lebb C'Yepp Nermonica Le Straypek De Grespin De Crespin De Spespin De Vespin De Whoop De Loop De Brunkle Merry Christmas Lenoir desceu correndo a colina como uma bola de gude desembestada.

A maioria das pessoas em Lamonic Bibber preferiu ser amiga de Polly, para poupar tempo e por maior comodidade. Por sorte, Polly era uma menina de quem valia a pena ser amigo. Tinha nove anos de idade, lindos cabelos da cor de areia como o sonho de um gato que sonha acordado e um sorriso tão feliz quanto o Banco da Inglaterra. E, quando ela ria, a luz do sol se refletia nos seus belos dentes como diamantes à procura de aventura.

☆ ☆ ☆

Assim, Polly desceu correndo a colina feito uma bola de gude desembestada, determinada a encontrar Jake antes que o cachorro fosse vítima do diabólico plano do sr. Gum. Ela não tinha noção exata do que o velho tinha em mente, mas sabia muito bem o perigo que seu grande amigo corria. Passou correndo pela **Antiga Loja de Curiosidades** e então voltou correndo porque ficou **curiosa** de saber o que tinha lá dentro. Então, lembrou-se do perigo que Jake estava correndo e retomou seu caminho. Passou correndo por uma lata de lixo cheia de lixo e depois outra cheia de lixo, depois outra cheia de lixo, depois outra cheia de princesas. *Hum, havia alguma coisa estranha com uma daquelas latas de lixo,* ela teve tempo para pensar, mas tinha de continuar correndo. Passou correndo por grandes árvores, pequenas árvores, árvores bem pequenininhas, e outras tão, mas tão pequenininhas que mais pareciam cascalho, e de fato eram cascalho. Passou correndo pelas orelhas de um gato que estava deitado no chão e um nariz de gato e bigodes que estavam sobre a calçada e um corpo de gato, e rabo, e pernas, e olhos, e garras que estavam deitados na calçada — na verdade tudo isso era só um gato, deitado na calçada. Ela corria com a velocidade do vento, mas depois se sentiu cansada e passou a andar como a brisa. Porém, logo recomeçou a correr porque estava determinada a salvar aquele extraordinário cachorrão.

Foi apenas depois de ter corrido por cerca de meia hora que se lembrou de algo muito importante: ela não tinha a menor idéia de onde Jake morava. E, além disso, não estava mais em Lamonic Bibber.

Já chegara à floresta, no limiar da cidade, e era uma floresta grande, assustadora e sombria. As antigas árvores pareciam olhar das alturas, implacáveis e ameaçadoras. "Somos as árvores", pareciam sussurrar. "Você não é bem-vinda a este lugar. Nós somos as árvores." Um vento frio soprava, provocando calafrios em Polly, e ela teve certeza de que uma das flores rosnava para ela.

"Ah, essa não!", gritou ela, sentando-se num daqueles imponentes cogumelos venenosos com os quais vez por outra a gente esbarra em florestas fantasmagóricas.

"Não sei mais onde estou e o meu querido Jake agora enfrenta o maior dos desafios da vida canina, e eu não sei onde encontrá-lo e aquela flor provavelmente vai me comer!" E com isso ela começou a chorar.

Nesse exato instante, um senhor idoso espiou fora da janela de uma cabana secreta, meio escondida nos arbustos atrás de Polly. Ela não tinha notado a cabana, e estou certo de que nem você teria. É este o mistério das cabanas secretas — elas são secretas.

— Ora, ora, ora — disse o velho. — O que temos aqui? Uma garotinha com problemas.

E assim termina este capítulo, deixando você sem saber se o velho era o sr. Gum ou se era um outro velho que ia fazer mal a Polly, e rir dela e tudo o mais. Mas quem sabe era um homem bom? Sim, este capítulo termina aqui sem que eu lhe diga que Polly estava sentada do lado de fora da cabana de Sexta-Feira O'Leary, um bom amigo, fantástico mesmo, e que conhecia os mistérios do tempo e do espaço, e coisas desse tipo. E sem que eu conte que ele é um dos heróis desta história. Rá-rá! Eu estou guardando essa informação só para mim, e você vai ter de esperar até o capítulo 7 para saber dessas coisas. É isso o que a gente chama de suspense.

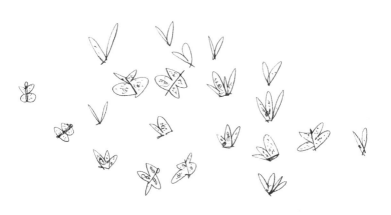

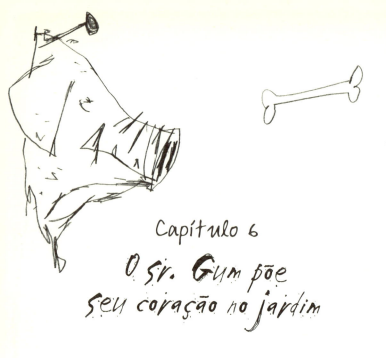

Capítulo 6
O sr. Gum põe seu coração no jardim

Enquanto isso, o sr. Gum resmungava e rosnava ao entrar na cidade. Passou por Billy William III, o das Carnes de Sua Majestade, e embora tentado a entrar, concluiu que ia ser perda de tempo. Jamais acharia qualquer coisa que cheirasse bem no açougue de Billy William. E essa era uma das razões pelas quais o sr. Gum gostava dele. Porque ele era fedorento.

Não havia fregueses com Billy William naquela hora, e o sr. Gum pôde avistá-lo através da janela de vidro sujo. Ele estava jogando um jogo de Dardos de Açougueiro, que é exatamente o mesmo jogo de dardos normal, só que o tabuleiro é uma cabeça de porco e os dardos são ossos velhos de carneiro. Billy William tinha inventado esse jogo um dia desses, quando estava bêbado. O sr. Gum adorava Dardos de Açougueiro, mas não dava tempo para entrar e desafiar Billy William para uma partida. Ele tinha um peixe mais graúdo para fisgar. Ou melhor, para envenenar. Ou melhor, um cachorro, não um peixe. Ele tinha um cachorro mais importante para envenenar.

Assim, foi em frente e atravessou a rua em direção à Terra dos Doces da Sra. Gracinha, que era uma loja de doces no outro lado da estrada. Como você pode adivinhar, o sr. Gum não gostava de ir até lá, e não gostava mesmo, porque era uma maravilhosa terra de doces e de coisas boas, e o sr. Gum era perverso, sujo e velho, e odiava coisas boas, como doces, festas de aniversário e gatinhos vestidos de palhaços. Ele preferia ouvir um piano sendo demolido por tratores ilegais a um concerto de Mozart. Não gostava nem mesmo de música pop. Nem mesmo dos Beatles. A única coisa que ele gostava dos Beatles era o nome deles, porque era a palavra em inglês para besouros, e besouros assustam algumas pessoas.

Assim, entrou na loja de doces com passadas cautelosas, como quem atravessa uma tempestade com chapéu de papel. Imediatamente, o ar se encheu de cheiros maravilhosos. O cheiro refrescante de balas de limão misturou-se às fragrâncias de bombas de morango e bastões de alcaçuz. O sr. Gum sentiu enjôos. Era como se estivesse sendo atacado por forças do bem. Quando ele era garoto, adorava comer doces, mas isso foi antes de ter se transformado em um homem mau. No entanto, nesse exato mo-

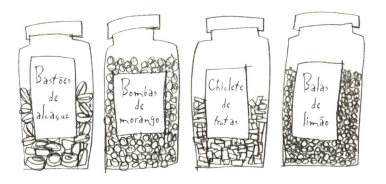

mento, parecia escutar a voz do garoto que ele fora antes, chamando-o lá atrás no tempo.

"Para onde foi todo o bem? Ah, para onde? Volte... Volte... Você pode ser bom novamente, eu sei disso. Ainda há tempo. Volte, sr. Gum!", disse a voz na sua cabeça.

Ele olhou para baixo e viu que a voz não estava em sua cabeça, no final das contas, mas pertencia a um menino que estava de pé junto dele.

— Mude outra vez, sr. Gum! O senhor ainda pode ser bom novamente — disse o garoto, oferecendo-lhe um chiclete de frutas.

Por alguma razão, o rosto tão sincero do garoto assustou o sr. Gum mais do que qualquer outra coisa naquela loja de doces.

— Toda essa conversa de mudar novamente — rosnou ele, mostrando ao garoto a porta da rua. — Não gosto disso, não. No duro mesmo! Me dá enjôo!

Naquele momento a sra. Gracinha saiu do quarto de trás tropeçando, com seus olhos bondosos e nariz e ouvidos bondosos.

Como é possível narizes e ouvidos serem bondosos?, indagou-se o sr. Gum, mas era verdade. Tudo o que dizia respeito à sra. Gracinha era bondoso. Ela era bondosa até mesmo em relação a calamidades do tipo do sr. Gum, e isso ele não conseguia agüentar. Dava vontade de arriar no chão e chorar até afastar todas as coisas más para longe.

— Olá, sua velha feiticeira — zombou ele. — Me dá aí um pouco de pó de limonada!

Os olhos da sra. Gracinha cintilaram.

— Tem razão, sr. Gum. Está um lindo dia — sorria ela enquanto pesava um saco de pó de limonada.

— Não sei por quê, sua velha miserável! — rosnou o sr. Gum, passando para ela algumas batatas que ele havia pintado para imitar moedas, de modo a poupar seu dinheiro.

Ele ficou aborrecido quando viu que as batatas, logo que tocavam as mãos da sra. Gracinha, se transformavam em dinheiro de verdade. Uma delas se transformou numa jóia com uma face risonha.

— Ai, meus bigodes! — grunhiu ele, dando meia-volta, aborrecido.

— É sempre um prazer ver o senhor — sorriu radiante a sra. Gracinha, enquanto o velho vociferava com o pequeno saco de pó de limonada preso entre os cotovelos. — Espero sinceramente que volte em breve.

O sr. Gum mal chegou a ver alguma coisa no caminho de volta para casa, principalmente porque pegou um táxi. Não podia esperar para executar seu plano. Logo estava de volta à sua fedorenta cozinha. Esfregou as mãos, muito alegre, e dançou uma dancinha malvada, como se fosse uma criança muito levada e manhosa, que resolvesse desprezar todos os presentes na manhã de Natal. Abriu o pequeno saco e borrifou seu conteúdo sobre o coração de boi podre e envenenado. Depois deu uma rápida fungada nele.

— CARAMBA! — exclamou, sem ar, apertando a garganta. — Essa coisa tem cheiro de limões, de sol brilhante e de amizade... Eu mal posso respirar!

Segurando o prato mortal com os braços esticados, o sr. Gum levou-o para o seu belo e bem-arrumado jardim. Daí, pôs o prato bem no centro do gramado, onde tinha certeza de que Jake o veria.

O dia estava muito tranqüilo. Nem uma simples folha de grama se mexia. Em algum lugar à distância um frango cacarejava. O sr. Gum apoiou as costas em sua cadeira quebrada predileta e esperou para ver o que aconteceria.

Capítulo 7
Sexta-Feira O'Leary

Então, voltemos agora para Polly, que ainda está exatamente onde a deixamos, soltando um belo de um berro do lado de fora da cabana secreta. Mas quem é aquele velho que a observava da janela? Você provavelmente está ficando doido com todo esse suspense, não é verdade? Bem, você pode respirar aliviado, ou aliviada, se for garota, porque ele é ninguém mais, ninguém menos do que Sexta-Feira O'Leary, um dos heróis desta história. Na próxima vez em que alguém disser a você: "Eu odeio homens velhos. Todos os homens velhos são desagradáveis e malvados", não vá concordando assim tão rápido.

Pare um minuto para pensar sobre esta história.

"Todos os homens velhos são desagradáveis e malvados? Isso é um absurdo!", é o que você dirá.

"Não, não é", diz esse alguém, cujo nome é Anthony. "O sr. Gum é velho e é apavorante e repulsivo também!"

"É verdade, Anthony", diz você.

"E o que me diz sobre o Billy William III?", insiste Anthony, com ar de vitorioso. "Ele é tão horrível quanto couve-de-bruxelas!"

"Bem, nessa você me pegou", diz você. "Mas acontece, Anthony, que você está esquecendo Sexta-Feira O'Leary. Ele também é um homem velho e é um grande campeão!"

"Puxa, como sou idiota! Esqueci o Sexta-Feira O'Leary!", diz Anthony. "Agora, estou indo pagar duzentas pratas para ver um cavalo equilibrando um copo de água nas costas. Tá vendo como sou idiota? Muito idiota!"

E você não será nunca mais incomodado por gente como Anthony novamente.

Mas quem era exatamente esse cara chamado O'Leary, afinal de contas?

Não se sabia muito sobre ele, já que ele era do tipo misterioso. Mas vou lhe dizer o que sei, baseado em boatos, meias-verdades:

Sexta-Feira O'Leary era tão velho quanto as colinas e tão sábio quanto as colinas, embora não fosse tão alto quanto as colinas. Sua cabeça calva era coberta de cabelos espessos, encaracolados, e ele tinha o número normal de pernas. Era a única pessoa que já havia encontrado uma agulha num palheiro, ainda que, para ser sincero, fosse uma agulha grande e uma pilha pequena de palha. Seu número favorito era verde e sua cor favorita era vinte e seis. Tinha vezes que ele misturava totalmente seus números e cores, e era dono da menor coleção de selos do mundo (não tinha selo nenhum). Ah, sim, uma última coisa. Vez por outra, e ninguém sabia por que, Sexta-Feira O'Leary gritava *A VERDADE É UM MERENGUE DE LIMÃO!*, no final das suas frases.

Seja como for, um pouco antes naquele dia, Sexta-Feira estava sentado na sala da frente, tocando piano. Tocava uma canção que ele mesmo tinha composto chamada *Tocava uma canção que ele mesmo tinha composto*, sobre como tocava uma canção que ele mesmo tinha composto. (Ele também tinha composto uma canção chamada *Mas ele não estava tocando aquela no momento*, mas ele não estava tocando aquela no momento.)

Tinha acabado de chegar aos últimos versos quando o telefone tocou. Sexta-Feira correu para atendê-lo, mas chegou tarde de-

de limão

mais, já que a campainha não estava tocando na sua cabana, o toque vinha da casa de Ethel Fumpton, uma casa a centenas de quilômetros de distância. Era sua amiga Mavis na linha.

— Alô, Ethel — falou Mavis. — Como vão as coisas?

De volta à cabana secreta ouvia-se o som de choro e de soluço, e uns barulhinhos baixos, comuns a meninas tristes. Sexta-Feira correu para a janela e pronunciou aquelas famosas, palavras cheias de suspense que eu mencionei antes:

— Ora, ora, ora — disse ele. — O que temos aqui? Uma garotinha com problemas.

Então abriu a porta da frente e deu alguns passos para fora.

— Olá — disse ele a Polly. — Você está bem? A VERDADE É UM MERENGUE DE LIMÃO!

— Quem é você? — perguntou Polly. Ela estava um pouquinho nervosa porque sua mãe lhe tinha dito para jamais falar com estranhos. Sua mãe tinha mania de dar conselhos deste tipo: *Escove os dentes duas vezes por dia; lave as mãos antes da refeição; cuidado para não cortar as pernas fora com a faca de pão.* O principal, no entanto, era *jamais fale com estranhos,* que era um conselho danado de bom, especialmente em se tratando de um estranho tão estranho quanto o estranho diante dela agora.

— Costumam me chamar de Mungo Bubbles — disse o estranho. — Mas não sei por que, já que o meu nome é Sexta-Feira O'Leary...

E então ficou tudo bem para Polly porque sua mãe lhe contara a respeito desse homem notável, numa noite de tempestade. Isto foi o que ouviu de sua mãe:

Sexta-Feira O'Leary é um velho misterioso que mora numa cabana secreta perto da floresta. Ninguém sabe exatamente onde fica, nem mesmo o primeiro-ministro. Mas, se você estiver em grande dificuldade, pode ser que acabe indo parar lá e ele lhe ajudará a resolver os seus problemas. Sexta-Feira O'Leary, não o primeiro-ministro.

Então Polly teve uma idéia. E se não fosse realmente Sexta-Feira O'Leary? E se fosse um homem mau fingindo ser ele? Ela lembrou outra coisa que sua mãe dissera: *Sexta-Feira O'Leary pode fazer malabarismo com cinco bolas de pingue-pongue e uma banana, e dificilmente as deixará cair.*

Assim, Polly pediu ao velho para ele, se não fosse incômodo, fazer malabarismos com cinco bolas de pingue-pongue e uma banana para ela. (Felizmente ela tinha cinco bolas de pingue-pongue e uma banana no bolso da saia.) Assim, Sexta-Feira fez malabarismos com elas e nem chegou a deixar uma cair, e então Polly se convenceu. De repente, a floresta pareceu amigável e acolhedora para Polly, que viu como era bela a natureza e que provavelmente ela não seria comida por uma flor nem por outra coisa qualquer.

— Sexta-Feira O'Leary! — gritou ela. — Fico muito feliz por encontrar você! Meu nome é Jammy Grammy Lammy F'Huppa F...

— Acho que vou chamar você simplesmente de Polly — disse Sexta-Feira.

Capítulo 8
Algumas coisas acontecem

gora, vou contar uma coisa a você. Sexta-Feira O'Leary não era o único personagem nesta história com uma casa misteriosa. Ninguém sabia também onde Jake, o cão, vivia.

— Aposto que ele mora numa fazenda e brinca com todos os outros animais — opinou Jonathan Baleia, o homem mais gordo na cidade, coçando as papadas do queixo.

— Vai ver ele mora na casa de um homem rico que o alimenta com ossos feitos de ouro — palpitou a garotinha chamada Pedro.

— Isso é apenas um palpite — disse Martin Lavanderia. — Mas talvez ele viva numa fazenda, onde brinca com todos os outros ani...

De repente, Jonathan Baleia saltou sobre Martin Lavanderia e sentou-se sobre ele, até deixá-lo com falta de ar e zumbindo feito um acordeão quebrado.

— Isso vai ensinar você a não roubar as idéias dos outros, seu magricela inútil — disse Jonathan Baleia. — Vamos, Pedro. Vamos tomar um sorvete.

Bem, seja como for, Jake não morava numa fazenda nem na casa de um homem rico. Ninguém sabia onde ele morava exceto eu, e não vou contar a você. Está bem, eu conto, mas só se você me pagar um real.

Está bem, está bem, cinqüenta centavos. OK, dez. Vamos lá! Dez! Não é muito! Ora, vamos! Oh, OK, você ganhou. Vou contar assim mesmo.

Ele morava na floresta, no alto de uma castanheira. Tinha construído um enorme ninho lá em cima e encheu-o de folhas velhas que o mantinham aquecido durante a noite. Alguém tinha deixado um rádio velho nas redondezas da floresta, e Jake o achou, certo dia, e levou-o para o seu ninho, mesmo ele não funcionando. Ele era apenas um cachorro, afinal de contas.

Enquanto Polly estava à procura de Jake, esse mesmo cão se divertia à beça. Ele estivera numa farra com os cucos, depois entrou numa de agitar com as cotovias e comprou algumas folhas de estanho de um pássaro pagas com duas castanhas. Depois do lanche, decidiu ir para a cidade brincar num jardim ou dois. Deslizou tronco abaixo mais rápido do que você lendo esta frase, e estava de muito bom humor. Lá foi ele, sem pressa, tomando sol, e sem se preocupar

cuco

com nada no mundo, latindo e arrotando o tempo todo, e cantando uma música que era mais ou menos assim:

AUUU! AUU! AU!
AUU!
AUUUUUUUUU!
AU-AU!
AUUU!

Logo Jake chegou à cidade. Passou pelo jardim do Velho Granny, com seu gramado maravilhosamente macio e adorável e o poço cheio de patos amigáveis. Passou pelo famoso jardim do lutador de luta livre aposentado, O Maravilhoso Marvin, com suas esculturas de pedra na forma de posições de luta livre. Passou pelo jardim de Beany McLeany's, onde tudo rimava e as flores cresciam como torres. No entanto, havia somente um jardim que Jake sonhava em bagunçar hoje, e era o do sr. Gum.

E lá foi ele, sobre suas peludas pernas. Logo alcançou a rua alta. Olhando escondido por trás de sua janela gordurenta, Billy William riu pensando na maldosa surpresa que aguardava o desavisado cão de caça. "Vai ser *engraxado*!", disse para si mesmo, rindo, enquanto Jake descia a estrada e sumia de vista.

Finalmente, Jake surgiu junto à cerca de arame farpado que rodeava a casa suja do sr. Gum. A cerca podia ter detido outros cães. Mas Jake era um desses animais magníficos que desconhecem o medo, a hesitação e como fazer ovos mexidos direito. Ele deu uma corrida meio que gingada e pulou sobre a cerca sem perda de tempo. Bem, é claro que ele precisou perder *algum* tempo nisso. Mas não muito. Aterrissou no jardim em meio a uma nuvem de terra e de flores, e latiu seu latido de *Olá, todo mundo!* para que todos os seus amigos do jardim ficassem sabendo que havia chegado. Seu latido de *Olá, todo mundo!* soou assim:

Au!

Ao contrário do seu latido normal, que soava assim:

Au!

Todos os animais reconheceram o latido de *Olá, todo mundo!* de Jake porque era completamente diferente do seu latido normal. No mesmo instante as toupeiras saltaram para fora das suas tocas de toupeira, os esquilos saltaram de suas tocas de esquilo e os gatos saltaram de suas tocas de gato. Na cozinha do sr. Gum, a torrada saltou para fora da torradeira, mas o sr. Gum viu que ela estava tentando escapar e a agarrou avidamente.

— O que está acontecendo? — resmungou ele. Mas então seus olhos se acenderam horrivelmente. — Eu aposto que é ele! —

exclamou, cuspindo migalhas de torrada para todos os lados. — Aposto que é aquele cachorro pulguento!

Com todo o cuidado, o sr. Gum andou na ponta dos pés até a janela da cozinha para espionar secretamente o jardim com seus olhos hostis. Lá fora, Jake corria muito excitado pelo gramado, perseguindo o próprio rabo. As lagartas ficaram tão felizes por vê-lo que imediatamente se metamorfosearam em borboletas. Uma das lagartas ficou tão contente que se metamorfoseou numa mula. As toupeiras guinchavam e as borboletas rosnavam de prazer. Os pássaros arremetiam-se para fora das árvores, gorjeando como se estivessem abençoados, enquanto o sol ia fazendo truques mágicos no céu. O sr. Gum observava toda a cena encolhido por trás das cortinas, odiando toda a alegria que o mundo sentia.

— Vamos logo, seu intruso — sussurrava ele, exalando mau hálito. — Vá comer aquela droga de coração!

Então, aconteceu. Jake subitamente parou de latir. Seu nariz se retorcia à medida que farejava o perfume de pó de limonada. Claro, o pessoal da cidade estava sempre deixando quitutes deliciosos para Jake, e assim ele achou que era uma dessas suas manhãs de sorte. Curvou-se sobre a bandeja de coração de boi que estava no meio do gramado. Os outros animais ficaram paralisados de horror quando o enorme cachorro abriu sua boca. Uma das toupeiras soltou um guincho de alerta, mas ficou engasgada logo no "guin..." Era tarde demais. As mandíbulas caninas de Jake já tinham se fechado em torno do coração.

CHOMP! CHOMP! CHOMP!

Ele mastigou um bom pedaço.

ENGOLE! ENGOLE! ENGOLE!

Ele o engoliu. **MAIS! MAIS! MAIS!** E partiu para cima de outro pedaço.

Mas, antes que pudesse dar mais uma abocanhada, soltou um triste *auuu* e tombou para um lado, sua grande barriga peluda movendo-se rapidamente para dentro e para fora. De repente, o sol foi coberto por uma nuvem cinzenta e suja do tamanho da Suécia. Atrás das cortinas, o sr. Gum estava rindo como um ladrão.

Capítulo 9
Polly e Sexta-Feira entram de moto na cidade

De volta à cabana, Polly contava a Sexta-Feira O'Leary tudo sobre o perigo que Jake corria. Sexta-Feira escutou com toda a atenção, fazendo comentários do tipo "hum" e "sim, entendo". Finalmente, Polly chegou ao fim da sua história e olhou ansiosa para seu novo amigo.

Ele estava perdido em pensamentos, torcendo um bigode imaginário que ele achava que o fazia parecer um detetive. Polly teve certeza de que ele bolava um plano brilhante.

— Diga-me, Polly — disse por fim. — Você gostaria de jogar tênis?

— Tênis? — disse Polly. — E o que você vai fazer a respeito do Jake?

— Exclamação de surpresa! Tinha esquecido tudo sobre isso! — disse Sexta-Feira. — Não há tempo a perder!

Com isso, ele entrou na cabana, desaparecendo de vista, e bateu a porta da frente. Cinco minutos mais tarde, a porta foi aberta e lá estava Sexta-Feira novamente, e vestido como um jogador de tênis.

— Aqui — disse ele, passando para Polly uma raquete. — Você pode começar sacando porque é a convidada.

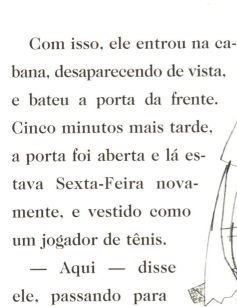

— Mas, sr. O'Leary — disse Polly com toda paciência possível —, a gente precisa salvar aquele cachorrão, o Jake, como eu já disse um milhão de vezes, ainda há pouco.

— Ah, é — confirmou Sexta-Feira. — Sinto muito. Vamos embora!

Ele jogou no chão a sua raquete de tênis, montou na motocicleta, deu partida no motor e saiu zunindo feito o próprio diabo. Porém um diabo bom, não um diabo mau.

— **Ei!** — gritou Polly. — Será que não esqueceu alguma coisa?

— Eeepa! — exclamou Sexta-Feira, e voltou para apanhá-la. Polly montou no sidecar e prendeu o capacete na cabeça.

— Se segura! A VERDADE É UM MERENGUE DE LIMÃO! — gritou Sexta-Feira, e partiram.

Era uma longa viagem até a cidade. Eles passaram por montanhas, lagos, rios e prados e pela Escócia...

— Droga — disse Sexta-Feira. — Errei o caminho.

E eles seguiram na direção oposta.

— Ei, Polly — gritou Sexta-Feira mais alto do que o barulho do motor. — Do que você estava falando há pouco, quando disse que Jake salvou sua vida um dia?

— Como é que você sabe que eu disse isso? — estranhou Polly. — Não havia ninguém por perto quando essas palavras saíram de minha boca.

— Está tudo neste livro que estou lendo — disse Sexta-Feira, apanhando do bolso um exemplar de *Você é um homem mau, Sr. Gum!* — Você disse isso no capítulo 5.

À menção disso, o rosto de Polly ficou mais animado e o cabelo, mais comprido.

— Talvez esse livro diga o que vai acontecer com o Jake agora! — arriscou ela.

— Não fale do que pode acontecer no futuro, jovem senhorita — preveniu Sexta-Feira. — É imprudente! É imprudente!

— Oh, por favor, por favor, vamos dar uma olhada nesse livro! — implorou Polly. E ela parecia tão perturbada que Sexta-Feira parou a motocicleta imediatamente.

— Certo — disse ele, abrindo o livro na página que você está lendo neste momento.

— Mas é imprudente! É imprudente!

No que ele disse *É imprudente*, Polly já estava lendo as mesmas palavras na página. Enquanto Polly lia sobre ela mesma lendo sobre ela mesma, teve a mais estranha das sensações. Era como mergulhar numa piscina cheia de arroz, na mais completa escuridão, só que a piscina ficava dentro de um espelho e a coisa toda era um sonho na cabeça de alguém. Bem, era mais ou menos assim a tal sensação, muito difícil de descrever.

Com as mãos trêmulas, Sexta-Feira virou as páginas até o último capítulo, mas só fez descobrir que as páginas estavam completamente em branco.

— O futuro ainda não foi escrito — disse Sexta-Feira, ligando o motor novamente. — Não podemos saber o que acontece. **—Foi imprudente, foi imprudente —** repetiu Polly.

— Ei, era o que eu queria ter dito — queixou-se Sexta-Feira, acelerando. — Não roube minhas falas. Agora, diga, como foi mesmo que Jake salvou sua vida?

— Ah, foi aquela coisa de sempre... — disse Polly enquanto eles disparavam outra vez na moto. — Ele me salvou de uma queimadura de centopéia.

Finalmente, Polly e Sexta-Feira O'Leary alcançaram a cidade. A moto desceu rugindo e pulando a rua alta, onde foram avistados por Billy William III. Sabendo que Sexta-Feira era uma força do bem, Billy William

saiu correndo da sua loja e começou a atirar neles pedaços imundos de carne.

— Ra-rá! — ele riu, enquanto Sexta-Feira desviava de uma cascata de hambúrgueres acinzentados. — Isso aqui é que nem Dardos de Açougueiro! — Ele apanhou um balde de tripas e lançou tudo o que tinha dentro contra Polly e Sexta-Feira. — Tome isso, força do bem — rosnou ele.

— Segure-se firme, Polly! — gritou Sexta-Feira enquanto a moto derrapava na sujeira. — Ataque triplo! — Sexta-Feira tentou com todas as suas forças controlar a moto, mas foi inútil. As rodas ficaram lambuzadas de tripas e, sem que pudessem evitar, eles derraparam. Ele e Polly foram lançados no chão e ali ficaram, indefesos, enquanto Billy William avançava sobre eles com um saco de rins.

— Aqui é o nosso fim? — gritou Sexta-Feira. — Ai, ai! Pobre de mim!

Só que, naquele momento, aconteceu uma coisa assombrosa. Um caramelo tipo quebra-queixo do tamanho de uma bala de canhão rolou rua abaixo. Rapidamente, foi seguido por outro ainda maior. Depois mais outro. Todos eram mirados com precisão mortal em Billy William. E eram arremessados por ninguém menos do que aquela maravilhosa vendedora de doces, a sra. Gracinha.

— **Não!** — gritou Billy William.

Em desespero, ele lançou um rim nela, porém errou o alvo por quilômetros e o rim acabou aterrissando numa árvore. A sra. Gracinha nem pestanejou. Desceu na mesma hora pela rua, cantarolando uma bela melodia que falava de uma cachoeira e rolando um enorme quebra-queixo à sua frente. Logo, a rua estava cheia deles. Billy William pulava, desviava e se jogava ao chão como uma bola de futebol, mas eram quebra-queixos demais, e outros mais vinham descendo a rua.

— Mas que mulher maravilhosa! — disse Sexta-Feira, seus olhos brilhando de admiração e tripas.

— Vamos logo, Sexta-Feira! O Jake precisa da gente! — disse Polly, pulando para o sidecar. — A sra. Gracinha pode cuidar desse sujeito!

Sexta-Feira pulou na moto, acelerou, e lá foram eles descendo a estrada, enquanto a batalha prosseguia às suas costas.

— Eu fiz isso acontecer! — disse Sexta-Feira, superexcitado, enquanto se afastavam. — Fiz uma mágica para a sra. Gracinha aparecer no momento exato de nos salvar!

Na verdade, ele não tinha feito nada disso, mas queria levantar o moral de Polly, depois de lances tão terríveis. (Além disso, havia nele uma leve tendência a se gabar de coisas, algo que não conseguia evitar, mesmo sendo um sujeito bom em tudo o mais.)

Ambos ficaram em silêncio enquanto a moto avançava, e logo chegaram à cerca alta e branca que rodeava o jardim do sr. Gum.

Capítulo 10
A hora mais sombria de Jake

o mesmo modo como aconteceu com Jake, aquela cerca não causou o menor problema nem para Polly nem para Sexta-Feira. Simplesmente a pularam, como se fossem pássaros.

— Mais intrusos! — grunhiu o sr. Gum, tentando fugir da fada raivosa que estava de volta com seu ímpeto de vingança e, certamente, uma frigideira. — Por que não vão chatear outro cara?

A motocicleta guinchou para brecar diante de um carvalho. Polly saltou do sidecar e correu para junto de Jake, que estava no gramado, cercado por seus leais amigos animais.

As toupeiras balançavam as cabeças tristemente. O esquilo assoou o nariz sobre uma borboleta. Os gatos pareciam prestes a chorar porque Jake era o único cachorro de que eles já tinham gostado. Polly engasgou quando o viu. O até então esplêndido animal parecia tão fraco quanto uma criança.

Seu pêlo tinha perdido o brilho e seus olhos estavam revirados para os céus. Não passava de uma sombra do que fora.

— Não morra! Não nos deixe, Jake! — soluçava Polly, lançando os braços em volta dele. — Você é gordo demais e bom demais para morrer!

A resposta de Jake se resumiu num rosnado baixo e fraco, que mais parecia o som distante de uma porta fechando.

— Se não fosse por aquele açougueiro, a gente teria chegado a tempo! — fungou Polly.

— Tempo? — exclamou Sexta-Feira enigmaticamente. — O que é tempo, jovem senhorita? **É imprudente** falar do que poderia e do que não poderia ter sido. **É imprudente!**

Polly estava começando a achar que Sexta-Feira era uma boa porcaria de herói, mas só que agora tinha outras coisas com que se preocupar.

— O que vamos fazer? — choramingou.

— É só você ter paciência que tudo sempre termina bem — respondeu Sexta-Feira, dando tapinhas leves em seu nariz de sábio.

Na verdade, ele não tinha a menor idéia de como solucionar o problema, mas, naquele instante, o sr. Gum chegou correndo com a fada nos seus calcanhares.

— Não adianta, O'Leary! — gritou o sr. Gum, como se fosse a gaivota mais malvada do mundo. — Esse cão num vai nunca mais incomodar ninguém outra vez!

— Mas nós ainda podemos salvá-lo! — insistiu Polly com fervor.

— Duvido, menininha horrorosa! — disse o sr. Gum. — Olhe isto aqui.

Ele apontou para a sua própria camisa, na qual estava escrito:

CAMPEÃO NA ARTE DE ENVENENAR CÃES

— Isso aí não quer dizer nada — falou Polly. — Você mesmo escreveu essa droga com ketchup.

Isso calou o sr. Gum durante um minuto, porque era verdade.

— Hum — murmurou Sexta-Feira, abaixando-se para examinar Jake, embora muito secretamente tivesse um pouco de medo de cães. De repente, ele se pôs de pé, seu imaginário bigode de detetive empinado em toda a sua glória.

— Diga-me, Gummy, meu menino — falou Sexta-Feira, retorcendo, com uma expressão de muito sabido, seu bigode invisível. — Qual a única coisa que poderia curar esse supercão?

— Ora, você sabe tão bem quanto eu, seu peru maluco — cacarejou o sr. Gum. — A única coisa que pode trazer um cão de volta do outro lado são as lágrimas de um homem que acaba de reencontrar seu irmão há muito desaparecido. E isso não vai acontecer agora, não é?

— Hummm... — murmurou Sexta-Feira bem alto, em resposta, apontando para o sr. Gum um dedo, como imaginava que um detetive faria. — As lágrimas de um homem que acaba de reencontrar seu irmão há muito desaparecido, é o que você diz? Bem, adivinhe só, sr. Gum... VOCÊ é meu irmão há muito desaparecido. Tenho um retrato de nós dois juntos quando éramos crianças. Daí, você cresceu e seguiu para o lado negro, tornou-se um homem mau e esqueceu tudo sobre mim, seu irmão, que é uma força do bem, e agora olha só ao que você foi reduzido... Você envenenou um cachorro forte e feliz só para parar de levar frigideiradas de uma fada, o que é bem coisa de um velho covarde e amargurado... exatamente aquilo que você se tornou. E agora que lhe passei essa fascinante informação, algo dentro de você está ardendo, querendo sair, e você está cheio de amor, compaixão e jantar, e não pode evitar derramar lágrimas sobre este pobre cachorro, e despertá-lo de seu tenebroso sono! A VERDADE É UM MERENGUE DE LIMÃO!

Em triunfo, Sexta-Feira entregou ao sr. Gum uma fotografia já gasta, tirada nos velhos tempos. A foto mostrava Sexta-Feira quando ele não passava de um garoto, ao lado de outro menino.

— Esse outro menino é você! — afirmou Sexta-Feira. — Agora, deixe essas lágrimas saírem logo!

Os bichos ficaram engasgados, e Polly, encantada, começou a bater palmas.

O sr. Gum aproximou bem a foto dos olhos:

— Não, esse não pode ser eu — disse. — E nós não somos nada disso de irmãos que se separaram, seu maluco.

— Ah — exclamou Sexta-Feira. Ele se virou para Polly, arrasado, seu bigode imaginário pendendo como um salgueiro chorão.

— Bem, jovem senhorita — disse ele suavemente. — Fiz tudo o que pude.

Subitamente, tudo ficou muito tranqüilo, como a parte triste de uma história. Nem os pássaros cantavam naquela hora infeliz, nenhuma brisa soprava. Pela primeira vez, até mesmo a fada raivosa estava em silêncio. O único barulho era o da respiração de Jake, para dentro e para fora, cada vez mais fraca.

— Adeus, Jake — fungava Polly, enterrando a cabeça no pêlo felpudo do cachorro. — Você foi um bom companheiro, foi sim.

Nesse instante, alguém lhe deu uns tapinhas no ombro. Ela levantou a cabeça e deu com um garotinho que nunca tinha visto antes. Entretanto, por alguma razão, Polly tinha a impressão de que o conhecia desde que se entendia por gente. E uma sensação de grande paz e calor se espalhou nela...

— É aquele pesadelo da loja de doces! — exclamou o sr. Gum. — Como ele veio parar aqui?

— Volte... volte, sr. Gum! — disse o garoto, com seu belo e honesto rosto.

O sr. Gum recuou, suas mãos erguidas como se para se proteger de um fantasma.

— Não gosto disso nem um pouco — disse ele, com voz entrecortada. — Aparecendo assim de lugar nenhum e falando para eu voltar... Não gosto nada disso, não!

— Eu sei que você pode voltar a ser bom — disse o garoto, oferecendo-lhe mais um chiclete de frutas.

Foi demais para o sr. Gum. Ele soltou um ganido aterrorizado, subiu na cerca e fugiu disparado estrada abaixo, com as palavras do garoto ainda ressoando nos seus ouvidos.

O garotinho se voltou para Polly.

— Criança — disse ele, embora não fosse mais velho do que ela. — Escute com atenção. Você deve disparar para a casa do sr. Gum e procurar na arca de marinheiro que está no vestíbulo. Ela está cheia de chocolate mágico com poderes fantásticos — sussurrou ele. — Não perca tempo, e traga tudo o que puder.

Polly não precisou que ele dissesse mais nada. Disparou para a casa e, no vestíbulo, lá estava a arca. Era a única coisa bonita naquele lugar solitário e parecia brilhar com esperança e cera de mobília. Ela abriu a tampa, olhou dentro, e não encontrou absolutamente nada.

A arca estava totalmente vazia.

Capítulo 11
Como tudo se resolveu

Passara-se tempo demais. Todo o chocolate tinha virado pó ou fora comido pelos marinheiros.

Qualquer outra garota teria desistido imediatamente e caído de joelhos, desesperada, no carpete imundo e puído do sr. Gum. Só que Polly não era uma garota qualquer, ela era Polly.

Assim, ela mergulhou nas profundezas escuras daquela arca. Era muito maior do que parecia por fora e cheirava a velhas aventuras marítimas e coisas submarinas. Polly perambulou sobre aquele piso de madeira, perdida na escuridão, até mesmo com dificuldade para se lembrar do que estava procurando. Tinha a horrível sensação de que estava tardando demais, embora não soubesse realmente o que a palavra significava.

— Bem, eu não me importo — soluçou ela. — Eu poderia tardar para sempre se fosse preciso para salvar o Jake. E faria tudo o mais que fosse necessário...

Nesse instante a mão de Polly se fechou sobre alguma coisa pequena, escondida ali bem no fundo da arca. Devagarinho, o coração batendo como uma daquelas coisas que a gente usa para encher balões, ela trouxe aquilo para a luz. Na palma da sua mão, estava um único chocolate no formato de golfinho, exatamente o último pedaço do tesouro de Nathaniel Surname, de uma terça-feira de muito tempo atrás. Pareceu piscar para ela, uma vez somente, mas também poderia ter sido um truque de luz, em vez de um truque do confeiteiro.

— Você é nossa última esperança, chocolate — disse Polly, saltando para fora da arca tão depressa quanto possível. — Tomara que seja o bastante para salvar nosso Jake.

— Bom trabalho, criança — disse o garotinho quando ela voltou. — Agora, vamos ver se as lendas são verdadeiras.

Tremendo, Polly manteve a boca de Jake aberta e ternamente enfiou o chocolate lá dentro. Logo que o chocolate pousou sobre a língua de Jake, virou um golfinho de verdade, todo prateado e azul, e foi escorregando goela abaixo, soltando assovios.

Por um momento nada aconteceu. Então os olhos de Jake cintilaram e se abriram, e ele emitiu um latido baixo. Sentiu-se bem, então latiu de novo, um pouco mais alto e mais forte do que da primeira vez. Com aquele segundo latido, a situação estava resolvida e o pesadelo terminara.

A fada zangada desapareceu num sopro de fumaça azul que cheirava a ovos com bacon, o sol saiu e começou de novo a fazer seus truques mágicos, até mesmo melhor do que antes, com verdadeiras cartas de baralho dessa vez. As toupeiras pulavam com alegria e as borboletas socavam seus pequenos punhos no ar em triunfo.

Jake levantou-se e deu uma volta olímpica em torno do jardim para mostrar que estava definitivamente curado. Depois, deu uma lambida olímpica no rosto de Polly

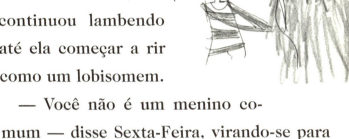

com sua língua canina cor-de-rosa, e continuou lambendo até ela começar a rir como um lobisomem.

— Você não é um menino comum — disse Sexta-Feira, virando-se para o garoto. — Quem é você realmente?

— Eu sou o Espírito do Arco-Íris — respondeu o garoto —, e a minha função é fazer o mundo crescer com cores felizes para podermos todos viver juntos pacificamente...

— Espírito! — gritou a voz de uma mulher da porta ao lado. — O seu chá está pronto!

— Desculpe, tenho de ir agora ou minha mãe me mata — disse o Espírito do Arco-Íris, e saiu correndo para tomar seu chá.

Bem, vou dizer uma coisa a vocês. O restante daquele dia foi brilhante. Sexta-Feira e Polly desfilaram pela cidade sobre as costas imensas de Jake, com todos os bichos dançando e fazendo acrobacias em torno deles, e um esquilo, de tão excitado, chegou a vomitar, e todo mundo riu. Sexta-Feira tocou flauta por uma narina e trombeta pela outra, e todo o bom povo de Lamonic Bibber saiu para a rua e ficou aplaudindo, acenando bandeirinhas e se banqueteando. (Jonathan Baleia comeu um banquete inteiro sozinho e passou o dia seguinte quase todo de cama.)

A alegre parada continuou, sem interrupção, crescendo cada vez mais e com os participantes tomando a direção da Maravilhosa Terra dos Doces da sra. Gracinha.

Mas, quando estavam atravessando a praça da cidade, a própria sra. Gracinha correu para cumprimentar os heróis. A não ser por um fígado de frango pendurado num braço, a corajosa mulher estava completamente recuperada da guerra contra Billy William III.

Quando viu a sra. Gracinha, os olhos de Sexta-Feira começaram a brilhar de admiração, mais uma vez, e a ternura o invadiu como um foguete. Ele se abaixou sobre um joelho no meio da praça da cidade. Depois sobre os dois joelhos. Depois, então, sobre três joelhos, o que dificilmente qualquer outra pessoa no mundo conseguiria fazer.

— Sra. Gracinha — disse Sexta-Feira através de um megafone, de forma que todo mundo pudesse escutar. — Você é a melhor. Já pensou em se casar?

A multidão prendeu a respiração.

Uma toupeira tamborilou uma tamborilada poderosa num tambor e mordeu uma rosquinha.

— Tudo bem — respondeu a sra. Gracinha. — Eu não tinha nada mesmo para fazer neste fim de semana.

Então, a cidade inteira irrompeu na maior comemoração. As borboletas choveram como confete, e Jake soltou um altíssimo e feliz latido, como se entendesse exatamente o que estava acontecendo.

Na verdade, ele estava latindo para um broto de planta que acabara de notar, mas, ora, deixa isso pra lá. Ele era apenas um cachorro, afinal de contas.

— Bem, é isso então — disse Sexta-Feira. — Vamos cair na farra!

Mas Polly lembrou uma coisa.

— Onde aquele velhote chato, o sr. Gum, se meteu? — perguntou ela.

— Provavelmente, está longe daqui, bebendo com Billy William — palpitou Sexta-Feira, e ele tinha razão. Era exatamente onde estavam aqueles dois, odiando o mundo e caindo de tanto beber cerveja.

— Mas você acha que ele vai voltar? — disse Polly.

Sexta-Feira falou de um jeito misterioso.

— Quem pode adivinhar o que acontecerá, jovem senhorita? — disse ele.

— É imprudente! É imprudente! — disse a sra. Gracinha. E Sexta-Feira nem ao menos se importou que ela tivesse roubado a sua fala, porque estava louco de amor e havia um casamento para ser feito.

E assim a vida continuou na pacífica cidade de Lamonic Bibber, e cada qual foi cuidar de suas coisas. Sexta-Feira casou com a sra. Gracinha, e eles passaram a convidar Polly para comer rosbife aos domingos (e, vez por outra, Sexta-Feira também contava um pouco de vantagem aos domingos por causa daquela sua leve tendência a se gabar, embora fosse um bom sujeito em tudo o mais. Ninguém o levava a mal). O sr. Gum e Billy William não foram vistos por um bom tempo, e Martin Lavanderia pediu desculpas a Jonathan Baleia, e Jake, o cachorro, brincou feliz nos jardins durante todo o verão. E nada de mais aconteceu, e o sol desceu sobre as montanhas.

FIM

Já sei o que você está pensando. Você está pensando: *Como pode ser o fim da história se há mais todas estas páginas extras aí adiante? Aposto que há uma HISTÓRIA-BÔNUS-SECRETA escondida em algum lugar por aí.*

Bem, nem pensar. Estas páginas não passam de espaço em branco sem nada escrito nelas. Claro que não há nenhuma HISTÓRIA-BÔNUS-SECRETA.

Assim, é só você deixar o livro de lado, e faça isso agora mesmo! Acabou. Vá chatear a sua mãe pedindo um bombom, ou qualquer coisa assim.

PARE DE PROCURAR UMA HISTÓRIA-BÔNUS-SECRETA. NÃO TEM NADA DISSO AQUI, aceite isso!

ESTÁ VENDO? SOMENTE ESPAÇO EM BRANCO. NADA MAIS.

O resto deste livro é puro espaço em branco.

Espaço em branco

Espaço em branco

O resto deste livro é puro espaço em branco.

Tralalalá

Você ainda está aqui? Olhe, não vou repetir. NÃO HÁ NENHUMA HISTÓRIA-BÔNUS-SECRETA. AQUI É O FINAL DO LIVRO.

O FIM.
FIM DO JOGO.
VÁ PARA CASA.
TCHAU.

HISTÓRIA-BÔNUS-SECRETA!!!

Sexta-Feira O'Leary explica o universo

Um dia Polly e Sexta-Feira estavam passeando de barco a remo pelo rio Lamonic, no ponto em que a correnteza se torna mais rápida. Era uma daquelas tardes muito claras, com sol brilhante, e não tem escola porque ela pegou fogo, ou porque é sábado, ou qualquer coisa assim, e dificilmente a gente dá de cara com marimbondos para estragar o dia.

— Sexta-Feira — disse Polly, pensativa. — Sou apenas uma garota, que não sabe nada sobre o universo e coisas assim. Você pode me ajudar, com toda essa sua sabedoria?

— Fico contente que me peça isso — disse Sexta-Feira —, pois o universo é a minha especialidade e eu sou o campeão dos testes sobre esse assunto. Mas vamos nos sentar debaixo da macieira em Old Meadow, mais adiante, porque esse é o melhor lugar para você ouvir meus famosos ensinamentos.

Assim, para longe em Old Meadow, eles foram e sentaram debaixo da macieira, e ali Sexta-Feira começou a transmitir seu tremendo conhecimento.

— Há milhões de anos, antes do seu tio nascer — começou —, um diminuto pedaço de queijo flutuava no meio do espaço, quando subitamente tudo ficou maluco. Daí, ele fez um Big Bang e saiu voando para tudo que é lado, feito uma velha senhora numa liquidação de objetos inúteis.

Por um minuto ou dois, tudo cheirava a queijo. Então, de repente, apareceu o planeta Terra por causa de umas substâncias químicas, e o que aconteceu a seguir foi o surgimento de uma criatura no mar.

— Mas que criatura era essa? — perguntou Polly.

— Era uma criatura cinzenta, com dentes e um colar — replicou Sexta-Feira, balançando a cabeça. — Logo ficou entendiada de ficar apenas nadando o dia todo e resolveu sair do mar, sacudiu-se e começou a comer plantas e sujeira. Um dia, ninguém sabe por que, se transformou num mamute peludo e ficou preso no gelo. Então, surgiram homens da caverna, Roma desmoronou num terremoto, Shakespeare inventou a escrita e o futebol, todos morreram da peste, um idiota descobriu a América debaixo de uma moita e aqui estamos todos, hoje, em nossos Tempos Modernos, nos virando como podemos, com computadores até os pescoços.

— Entendi — disse Polly. — E os outros planetas, como Marte e Júpiter e Veneza?

Mas a única resposta de Sexta-Feira foi um ronco feliz. Isso porque transmitir conhecimento é um trabalho cansativo e, além disso, era muito tranqüilo ali debaixo da macieira.

Enquanto Polly caminhava para casa, ficou pensando em como era feliz.

"Claro, as outras crianças não têm professores de universo como o Sexta-Feira, para transformá-las em sábias. Então, como vão aprender essas coisas direito? Que pena, é o que posso dizer."

E, quanto ao professor do universo, ele passou o resto da tarde dormindo no prado e, quando acordou, um cavalo estava lambendo seu braço.

FIM

Este livro foi composto na
tipologia Caslon, em corpo 13/21,
e impresso em papel off-white 90g/m²,
na Markgraph.